DATE DUE

MAR 2 3 2010		
JUN 1 4 2011 DEC 2 7 2010		
JUN 1 1 2012		
GAYLORD		PRINTED IN U.S.A.

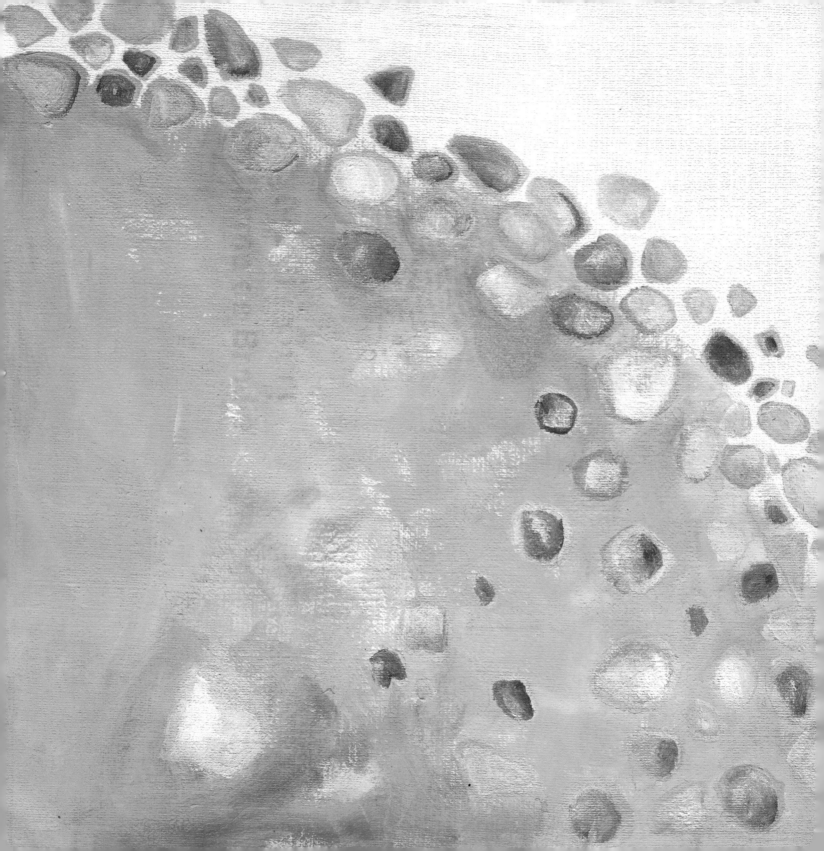

La hormiga

Melinda

Irigoyen, Moira
    La hormiga Melinda / Moira Irigoyen ; ilustrado por Verónica
Hachmann - 1a ed. - Buenos Aires : Unaluna, 2007.
    36 p. : il. ; 22,5x22,5 cm.

    ISBN 978-987-1296-27-9

    1. Narrativa Infantil Argentina . I. Hachmann, Verónica, ilus. II. Título
    CDD A863.928 2

Dedicatoria:

A Roman Rolland

Textos: Moira Irigoyen
Ilustraciones: Verónica Hachmann

Impreso por PRINTING BOOKS, Mario Bravo 835, Avellaneda,
Buenos Aires, Argentina, en el mes de marzo de 2007.

Distribuidores exclusivos: Editorial Heliasta S. R. L.
Viamonte 1730 - 1er. piso (C1055ABH) Buenos Aires- Argentina
Tel: (54-11) 4371-5546 Fax: (54-11) 4375-1659
editorial@unaluna.com.ar - www.unaluna.com.ar

Queda hecho el depósito que establece la ley 11.723
Libro de edición argentina

La hormiga Melinda

TEXTOS: **MOIRA IRIGOYEN**
ILUSTRACIONES: **VERÓNICA HACHMANN**

unaluna

La hormiga Melinda va con mucha prisa
por el caminito con una sombrilla.
—¿Qué pasa, Melinda, que corres con prisa? —pregunta
el gusano, su gorro en la mano.

—Voy a los festejos que organiza el bosque,
festejos de día, festejos de noche.
—¿Puedo ir contigo? —pregunta el gusano,
y Melinda, amiga, le toma la mano.

Van muy, muy juntitos Melinda y su amigo
hasta que los para otro buen vecino.
—¿Cómo es que no juegan a las escondidas?—les
pregunta el pato, moviendo su pico.

Juega la jirafa, juega el hipopótamo,
juega la tortuga, hasta el cocodrilo...
Juntémonos todos y juguemos pronto
antes que la noche nos ponga su poncho.

Entonces Melinda, con una sonrisa, exclama en voz alta:
—¡Corro con ventaja! Muy fácil me escondo.
—No creas que es fácil —dice la jirafa— corro con
ventaja. Yo soy la más alta.

Y en un periquete se organiza el juego, suben,
trepan, bajan, mientras se encaminan a sus
escondites, menos la hormiguita, que dándose
vuelta, se tapa los ojos y cuenta hasta ocho.

La hormiga Melinda entonces da un giro
y todo lo que encuentra está muy tranquilo:

—¿Dónde estará el tigre, dónde la jirafa, y el amigo pato y hasta el gusano? —pregunta Melinda en voz muy muy baja.

Pero en el bosque nadie le contesta.
Y Melinda, astuta, se calza las gafas.

¿Puedes ayudar a la Hormiga Melinda
a encontrar a sus amigos en el bosque?

—¡Ya veo muy claro dónde está el tigre! —exclama
Melinda y luego se calla.
—¡Está ATRÁS del fuego, no teme a las llamas!

—¡Y el pato tan blanco parece escondido DELANTE de piedras también muy, muy blancas!

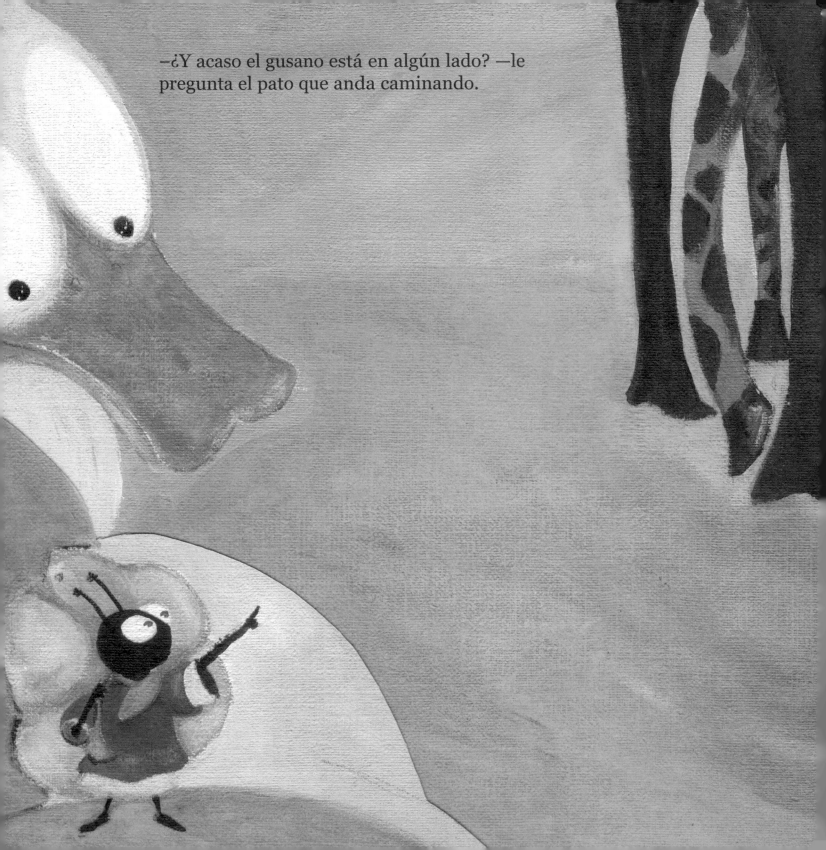

–¿Y acaso el gusano está en algún lado? —le pregunta el pato que anda caminando.

–¡Lo veo muy claro! —responde Melinda–.
Está enrollado en una ramita.
Su cuerpo se enrosca todo ALREDEDOR
y se confunde con el verdor.

—¡Astuta Melinda! —exclama el gusano
y estira su cuerpo bien hacia lo alto.
–¿A que no es tan fácil hallar a la jirafa?—le
preguntan todos, y Melinda calla.

Mira con detalle de IZQUIERDA a DERECHA
y vuelve la vista de DERECHA a IZQUIERDA,
hasta que de pronto divisa las patas
altas y delgadas de la gran jirafa.

—¡Está ENTRE los árboles! —exclama Melinda,
y la jirafa, descubierta, echa a andar.
—¡Eres muy muy lista, hormiga Melinda!
Veré si yo puedo lo tuyo igualar.

Y mientras se esconden de nuevo los animales
la alta jirafa se ufana al hablar:
—Es que soy muy alta, por mi extenso cuello el paisaje
inmenso lo puedo abarcar. Puedo observar mucho desde
aquí arriba, nada se me escapa, todo lo controlo.

Y mientras se esconden, piensa la jirafa:
"¿Dónde estará el hipo..., dónde estará el coco...?
¿Y la tortuguita... y la astuta Melinda?"

*¿Puedes ayudar a la gran jirafa a encontrar
a sus amigos en estas dos páginas?*

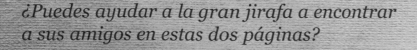

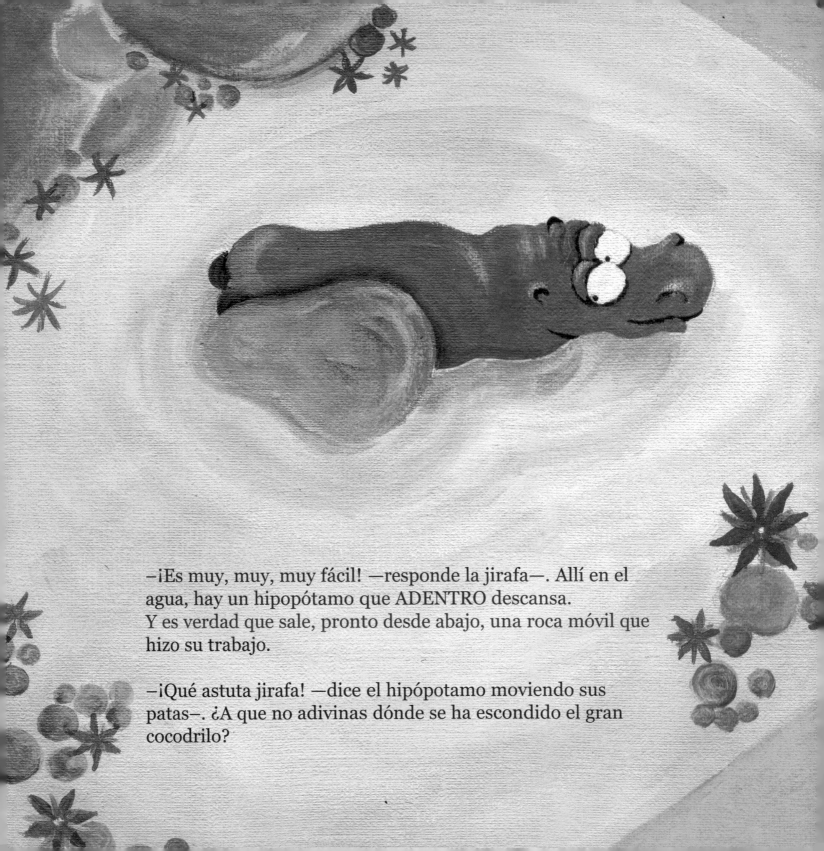

–¡Es muy, muy, muy fácil! —responde la jirafa—. Allí en el agua, hay un hipopótamo que ADENTRO descansa.
Y es verdad que sale, pronto desde abajo, una roca móvil que hizo su trabajo.

–¡Qué astuta jirafa! —dice el hipópotamo moviendo sus patas—. ¿A que no adivinas dónde se ha escondido el gran cocodrilo?

—¡Lo encontré, amigo! Allí bien lo veo
AFUERA del agua, y entre las hojas
muy calmo y tranquilo mira el cocodrilo.

—Es cierto, caramba —dice el cocodrilo—,
y desde sus dientes sale mucho brillo.
¿Y de la tortuga, conoces su nido?

—Sin duda se esconde allí a lo lejos
DEBAJO de hojas que son como un techo.

Y ya descubierta, la tortuga sale
y avanza de a poco, con paso muy lento.

—¿Por qué no nos cuentas, esbelta jirafa —dice
la tortuga de digna coraza—, dónde es que se
esconde la hormiga buscada?

Mira la jirafa de ARRIBA hacia ABAJO y vuelve la vista
otra vez ARRIBA: nada por DELANTE, nada por
DETRÁS ni en el horizonte hay algo de más.

¿A qué nadie sabe dónde está Melinda,
la hormiga más linda?

—¡Acá estoy, señores! —exclama Melinda, mientras se
endereza JUNTO a su sombrilla—. Estoy aquí ARRIBA,
sobre tu cabeza, me oculté del sol BAJO tus orejas.

Y al bajar Melinda de aquella jirafa
le dice al gusano, tomando su mano:
—Como ven, amigos, nadie puede solo,
no alcanzan los ojos a abarcarlo todo.

Y mientras Melinda cierra su sombrilla,
declina la tarde y la noche invita
a nuevos encuentros y a juegos distintos:
a mirar estrellas, a decir poemas,
a inventar canciones...

Oscura, la noche, todo lo enmascara,
las formas, los brillos y hasta los colores
quedan escondidos.
¿Y así quién podría
jugar por la noche a las **escondidas**?

UN CUENTO QUE SE LEE, SE MIRA, SE DISFRUTA Y ADEMÁS...

La colección **Mini matemáticos** acerca a los niños los primeros conceptos de la matemática y la geometría.

En este caso, el cuento focaliza en las posiciones de los objetos en el espacio. Este relato permite que los niños construyan un lenguaje espacial de las posiciones y los desplazamientos, que tomen conciencia de los fenómenos vinculados a los cambios de punto de vista, y que elaboren representaciones del espacio y sus relaciones.

Se trata de contenidos que pueden trabajarse a partir de este cuento, el cual aborda un juego que a los niños les resulta familiar: las escondidas.

Las posiciones se destacan con mayúsculas

(ATRÁS / ADELANTE; ADENTRO / AFUERA; DEBAJO-ABAJO / ARRIBA; ALREDEDOR; ENTRE), pero hay varios otros indicadores espaciales que el adulto podrá aprovechar pedagógicamente en la medida en que lo considere pertinente, como las nociones de DERECHA/ IZQUIERDA, o el concepto de HORIZONTE.

En los últimos animales, se ha incorporado una doble referencia adrede (ej: "*afuera* del agua y *entre* las hojas"), lo que añade una complejidad que puede dar pie a una mayor elaboración del tema.

La cuestión del punto de vista está claramente enfocada —el contraste entre la visión de la hormiga y la jirafa es uno de los ejes del cuento—, y la idea que subyace de que cada uno tiene una visión relativa de las cosas, que nadie puede acceder a una totalidad (o a una verdad), puede ser explotada temáticamente de formas muy diversas y creativas.

¿QUÉ OTRAS COSAS SE PUEDEN HACER CON LA HISTORIA DE LA HORMIGA MELINDA?

✓ Proponer a los niños que imaginen otros escondites para los animales, y que enuncien los lugares (ej: "el pato se podría esconder *atrás* de las rocas").

✓ Jugar a esconder distintas cosas y luego descubrirlas enunciando dónde están.

✓ Jugar a dar instrucciones de dibujo uno al otro, o bien a todos (por ejemplo: "Dibujen una flor adentro de un vaso").

✓ Dar a los niños un dibujo con un par de referencias —por ejemplo un niño y una niña— e indicarles la posición para que dibujen otros elementos (por ejemplo: Dibujen un baúl *entre/alrededor/sobre* el niño y la niña).

✓ Jugar a dar instrucciones entre dos equipos. (Ej: "Escóndanse debajo de la silla").

✓ Para trabajar los conceptos *izquierda* y *derecha*, se pueden inventar juegos en los que los chicos tengan que levantar la mano derecha o izquierda según sea "SÍ" o "NO" (por ejemplo: el adulto pregunta: ¿Hoy llueve? Y los chicos tienen que contestar levantando la mano correspondiente).

La hormiga Melinda

UNA HISTORIA SIN PALABRAS

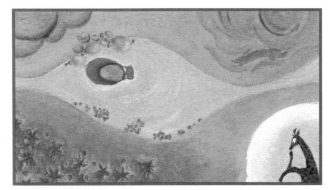

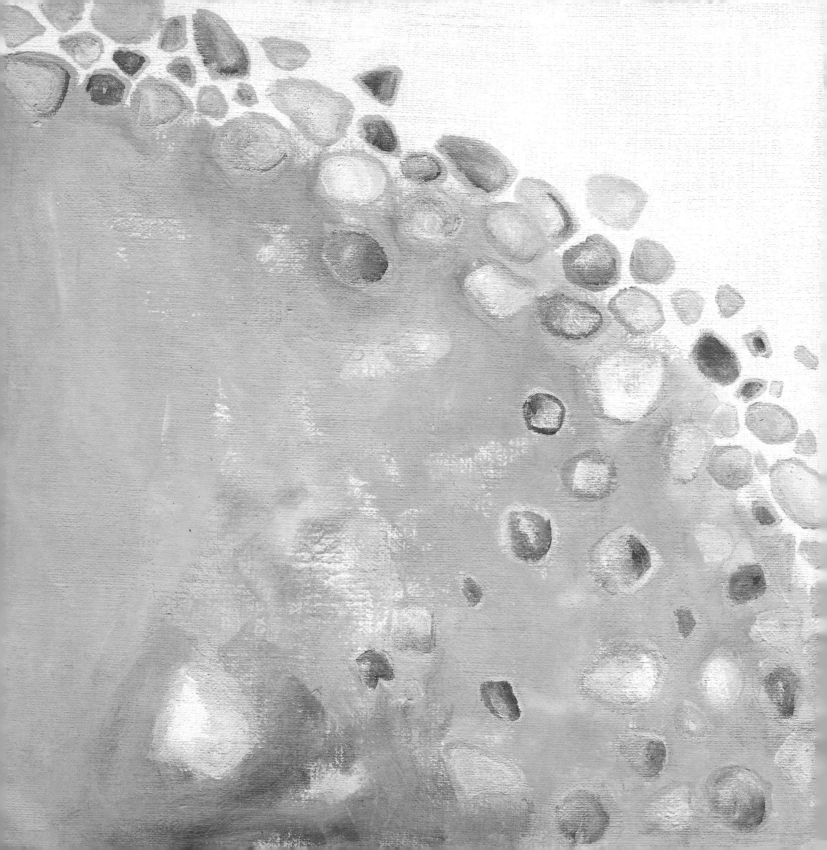

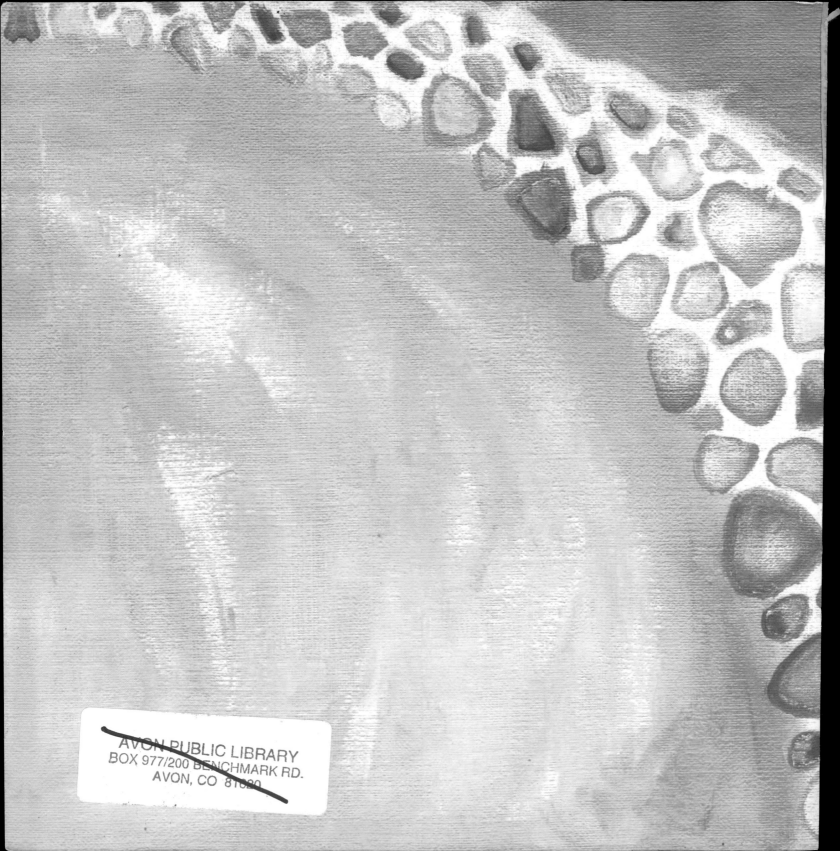